Richard Strauss

Fünf Lieder
Five Songs

für Gesang und Klavier · for Voice and Piano

op. 39

F 95081

ROB. FORBERG MUSIKVERLAG

INHALT · INDEX

F 95081

ISMN 979-0-2061-0615-6

Liedtexte · Lyrics

1. Leises Lied
Text: Richard Dehmel

In einem stillen Garten
an eines Brunnens Schacht,
wie wollt' ich gerne warten
die lange graue Nacht!

Viel helle Lilien blühen
um des Brunnens Schlund;
drin schwimmen golden die Sterne,
drin badet sich der Mond.

Und wie in den Brunnen schimmern
die lieben Sterne hinein,
glänzt mir im Herzen immer
deiner lieben Augen Schein.

Die Sterne doch am Himmel,
die stehen all' so fern;
in deinem stillen Garten
stünd' ich jetzt so gern.

1. Quiet song
Lyrics by Richard Dehmel

In a quiet garden
by a well shaft,
how gladly would I wait there for all
the long grey night!

Many bright lilies blossom
around the well's maw;
therein, the stars swim gold,
therein, bathes the moon.

And as the beloved stars gleam
into the well,
so does the light of your beloved eyes,
shine on within my heart.

But the stars in the heavens,
are all so far away;
in your quiet garden would I
now so gladly be.

2. Junghexenlied
Text: Otto Julius Bierbaum

Als nachts ich überm Gebirge ritt,
rack schack, schacke, mein Pferdchen,
da ritt ein seltsam Klingeln mit,
klingling, klingelalei.

Es war ein schmeichlerisch bittend Getön,
es war wie Kinderstimmen schön.

Mir war's, ich streichelt' ein lindes Haar,
mir war so weh und wunderbar.

Da schwand das Klingeln mit einemmal,
ich sah hinunter in's tiefe Thal,

da sah ich Licht in meinem Haus,
rack schack, schacke, mein Pferdchen,
mein Bübchen sah nach der Mutter aus,
klingling, klingelalei.

2. The Little Witch's Song
Lyrics by Otto Julius Bierbaum

One night, while riding over the mountains,
clippity, cloppity, my little horsie
I heard a curious ringing sound riding beside me,
ring-a-ling ring-a-lay.

It was a pleasing, pleading tone,
as lovely as a child's voice.

I felt as if I were stroking silken hair,
It felt so painful, and yet so wonderful,

Then, all at once, the ringing disappeared,
I gazed down into the deep valley,

where I saw a light shining in my home,
clippity, cloppity, my little horsie,
my little boy was looking out for his mother,
ring-a-ling ring-a-lay.

3. Der Arbeitsmann
Text: Richard Dehmel

Wir haben ein Bett, wir haben ein Kind,
mein Weib!
Wir haben auch Arbeit und gar zu zweit,
und haben die Sonne und Regen und Wind,
und uns fehlt nur eine Kleinigkeit,
um so frei zu sein wie die Vögel sind:
nur Zeit.

Wenn wir Sonntags durch die Felder geh'n,
mein Kind,
und über den Ähren weit und breit
das blaue Schwalbenvolk blitzen seh'n,
o dann fehlt uns nicht das bischen Kleid,
um so schön zu sein wie die Vögel sind:
nur Zeit.

Nur Zeit! Wir wittern Gewitterwind,
wir Volk!
Nur eine kleine Ewigkeit;
uns fehlt ja nichts, mein Weib, mein Kind,
als all' das, was durch uns gedeiht,
um so froh zu sein, wie die Vögel sind:
nur Zeit!

3. The Worker
Lyrics by Richard Dehmel

We have a place to sleep, we have a child,
my woman!
We also have work, for both of us,
and the sun, the rain and the wind:
we only lack one little thing,
to be as free as the birds are:
it's only a matter of time.

When, on Sunday, we go through the fields,
my child,
and above the wheat fields, far and wide
we see a flock of blue swallows flash by,
oh, at that moment, we do not need any finery,
to be as beautiful as the birds:
it is only a matter of time.

Only time! We can smell the scent of the storms
to come is in the air, we the people!
It's only a matter of a small eternity;
we lack nothing, my woman, my child,
because within us already grows that which we need
to be as happy as the birds,
it's only a matter of time!

4. Befreit
Text: Richard Dehmel

Du wirst nicht weinen. Leise, leise
wirst du lächeln und wie zur Reise
geb' ich dir Blick und Kuss zurück.
Unsre lieben vier Wände, du hast sie bereitet,
ich habe sie dir zur Welt geweitet;
o Glück!

Dann wirst du heiss meine Hände fassen
und wirst mir deine Seele lassen,
lässt unsern Kindern mich zurück.
Du schenktest mir dein ganzes Leben,
ich will es ihnen wiedergeben;
o Glück!

Es wird sehr bald sein, wir wissen's Beide,
wir haben einander befreit vom Leide,
so gab' ich Dich der Welt zurück.
Dann wirst du mir nur noch im Traum erscheinen
und mich segnen und mit mir weinen;
o Glück!

4. Released
Lyrics by Richard Dehmel

You will not weep. Softly, softly,
will you smile, and as if before setting off upon a journey
I shall return your glance and kiss.
Our dear four walls, you have cared for them,
I have brought them out into the world for you;
oh, what happiness!

Then ardently will you seize my hands
and will leave your soul to me,
and leave our children, to me to care for.
You dedicated your whole life to me,
I will give it back to them;
oh, what happiness!

It will come quite soon, that we both know,
we have freed one other from grief,
and so, I gave you back unto the world.
Then, you will appear to me only in my dreams,
to bless me, and to weep with me;
oh, what happiness!

5. Lied an meinen Sohn
Text: Richard Dehmel

Der Sturm behorcht mein Vaterhaus,
mein Herz klopft in die Nacht hinaus,
laut; so erwacht' ich vom Gebraus
des Forstes schon als Kind.
Mein junger Sohn, hör' zu, hör' zu:
in deine ferne Wiegenruh'
stöhnt meine Worte dir im Traum der Wind.
Einst hab' ich auch im Schlaf gelacht,
mein Sohn, und bin nicht aufgewacht
vom Sturm, bis eine graue Nacht
wie heute kam.
Dumpf brandet heut im Forst der Föhn
wie damals, wenn ich sein Getön
vor Furcht wie meines Vaters Wort vernahm.

Horch, wie der knospige Wipfelsaum
sich sträubt, sich beugt, von Baum zu Baum;
mein Sohn, in deine Wiegenruh'
zornlacht der Sturm: hör' zu, hör' zu!
Er hat sich nie vor Furcht gebeugt,
horch, wie er durch die Kronen keucht:
sei du! sei du!

Und wenn dir einst von Sohnespflicht,
mein Sohn, dein alter Vater spricht,
gehorch' ihm nicht, gehorch' ihm nicht:
horch, wie der Föhn im Forst den Frühling braut!
Horch, er behorcht mein Vaterhaus,
mein Herz klopft in die Nacht hinaus,
laut.

5. A Song for my Son
Lyrics by Richard Dehmel

The storm is eavesdropping on my Father's house,
my heart beats out into the night,
loudly: and so, ever since I was a child,
was I awoken by the Forest's roar.
My young son, listen to me, listen:
in your far-off cradle calm,
may the wind whisper my words to you in your sleep.
Once upon a time, I too did smile in my sleep,
my son, and no storm ever wakened me,
until a grey night
like this one came.
Today, the Föhn roared dully through the forest,
like back then, when I heard its sound,
and out of fear mistook it for my father's voice.

Listen to how the edges of the budding treetops
struggle and bend from tree to tree;
my son, in your cradle-calm
rages the storm, laughing: listen, listen!
He has never bowed down in fear,
listen, how he whoops through the trees' crowns,
be yourself! Be yourself!

And if ever, my son,
your old father speaks of filial duty:
obey him not, obey him not:
listen, instead to how the Föhn stirs up the Spring.
Listen: it's eavesdropping on my Father's house,
my heart beats out into the night,
loudly.

Richard Strauss (1864–1949) gilt als einer der bedeutendsten deutschen Komponisten in der ersten Hälfte des 20. Jahrhunderts. Zu einer Zeit, da die meisten anderen Komponisten neue Wege unterschiedlichster Art beschritten, hielt er einer spätromantisch geprägten Tonsprache die Treue. Neben seinem Liedschaffen gehören heute insbesondere seine Opern sowie seine Sinfonischen Dichtungen zum Standardrepertoire.

Die *Fünf Lieder* op. 39 entstanden 1898, im Jahr des Wechsels von Richard Strauss als Kapellmeister von München nach Berlin. Zur Komposition inspiriert wurde er durch seine damalige Frau, die Sopranistin Pauline Strauss-de Ahna; Widmungsträger ist jedoch sein Freund und Förderer Fritz Sieger.

Der Text zu vier der fünf Lieder aus op. 39 stammt von **Richard Dehmel** (1863–1920), der zu seiner Zeit als einer der bedeutendsten deutschsprachigen Lyriker galt. Er war jedoch nicht unumstritten; so führte ein von ihm verfasstes Gedicht zu einer Verurteilung wegen „Verletzung religiöser und sittlicher Gefühle". Der Textdichter des *Junghexenliedes*, der Nummer 2 aus op. 39, ist **Otto Julius Bierbaum** (1865–1949), der vielseitig im literarischen Bereich tätig war und nicht nur als Lyriker, sondern auch als Buchautor und Herausgeber in Erscheinung trat.

Richard Strauss (1864-1949) is considered one of the most important German composers of the first half of the 20th century. During a time when most other composers were breaking new ground in the widest variety of ways, he remained faithful to a musical language still shaped by late romanticism. Today, in addition to his songs, his operas, in particular, as well as his symphonic poems, are considered part of the standard repertoire.

The *Five Songs* (op. 39) were written in 1898, the same year that Richard Strauss moved from being Kapellmeister in Munich to Kapellmeister in Berlin. Their composition was inspired by his then wife, the Soprano Pauline Strauss-de Ahna; they are dedicated, however, to his friend and patron Fritz Sieger.

Four out of five of the song-texts in opus 39 were written by **Richard Dehmel** (1863–1920) who was considered one of the most important German-speaking poets during his lifetime. He was not however free of controversy: one of his poems brought about a conviction for the "violation of religious and moral sense". The librettist of the *The Little Witch's Song*, number 2 from op. 39, is **Otto Julius Bierbaum** (1865-1949), who was active in a number of literary fields: not only as a poet, but also as a book author and publisher.

Leises Lied

Op. 39/1

F 95081

Brun - nens Schlund; — drin schwim-men gol-den die Ster - ne, drin

ba - det sich_ der_ Mond._____ Und wie in den Brun - nen

schim - - mern die lie - ben Ster-ne hin - ein, glänzt mir im Her -

- - zen_ im-mer dei - ner lie-ben Au - gen Schein._____ Die

Ster - ne doch am Him - mel, die ste-hen all' so fern; in dei - nem

stil - len Gar - ten stünd' ich, stünd'

ich_____ jetzt_____ so_____ gern._____

pp

pp

calando

Herrn Dr. Fritz Sieger freundschaftlichst gewidmet

Junghexenlied

Op. 39/2

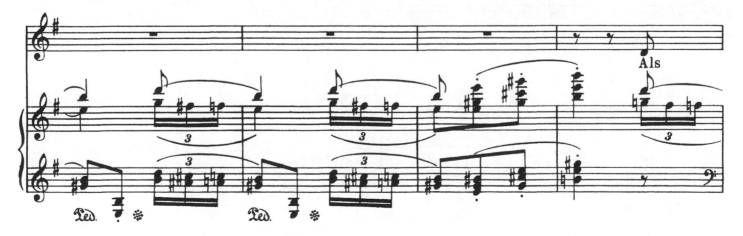

Nachts ich__ ü-berm Ge - bir - ge ritt, rack schack,

schacke, mein Pferd __ chen, da ritt ein selt - sam

Klin - geln mit, kling-ling, kling-ling, klin-ge-la - lei.__ Es war ein

schmeich-lerisch bit-tend Ge - tön,__ es war wie Kind -

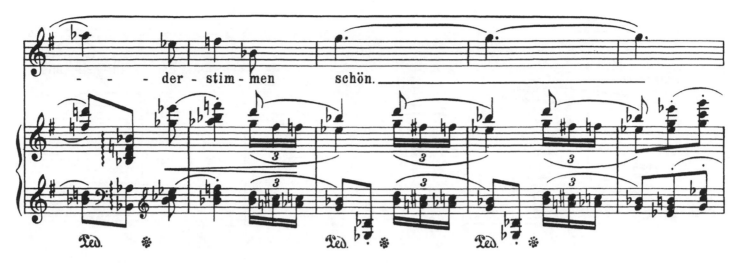

- - der - stim - men schön.

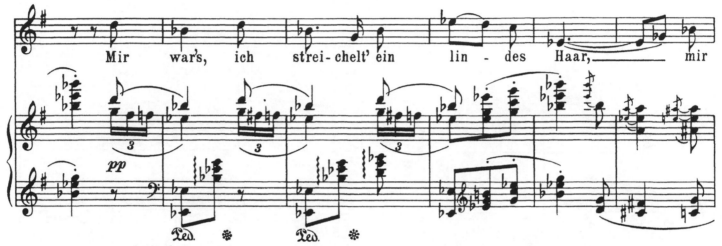

Mir war's, ich strei-chelt' ein lin - des Haar,_____ mir

war so weh__ und wun - - - - - der-

-bar._____

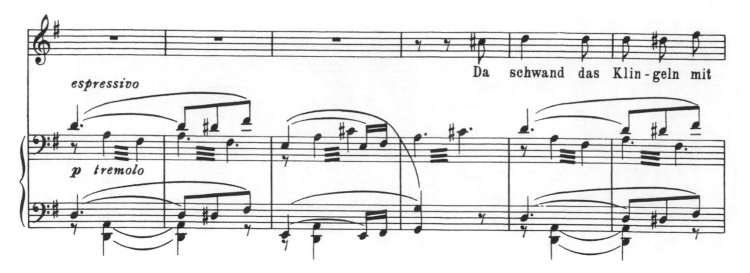

Da schwand das Klin-geln mit

ei - nem - mal, ich sah_____ hin - un - ter in's tie - fe

Thal,_____ da sah ich Licht in mei-nem Haus,_____

rack schack, scha-cke, mein Pferd - - - chen, mein

Büb - - chen sah____ nach der Mut - - - ter aus,____

Kling-ling,____ kling-ling,____

kling-ling, kling-ling,klin-ge-la - lei.____

Herrn Dr. Fritz Sieger freundschaftlichst gewidmet

Der Arbeitsmann

Op. 39/3

Wir ha-ben ein Bett, wir ha-ben ein Kind, mein Weib!

Wir ha-ben auch Ar-beit und gar zu zweit, und ha-ben die

Son - - ne__ und Re-gen und Wind, und uns fehlt nur

ei - ne Klei - nig - keit, um so frei__ zu sein__ wie die Vö - -

gel sind: nur Zeit,__ nur Zeit.__ Wenn wir Sonntags durch die

Fel der geh'n, mein Kind,__ und ü - ber den Äh - - ren weit__ und

breit das blau-e Schwalbenvolk blitzen se lin, o_____ dann fehlt uns nicht das

bischen Kleid, um so schön zu sein wie die Vö - - gel sind: nur Zeit,____

nur Zeit. Nur Zeit! Wir wit-tern Ge-

wit - - - - - - ter-wind, wir Volk!

Nur Zeit!

Befreit

Op. 39/4

Welt ge-wei - tet; o Glück!____

molto espressivo

Dann____wirst du heiss mei - ne Hän - - de fas-sen und wirst____ mir dei-ne

See - - le las-sen, lässt un - sern Kin - - dern

smorzando

mich _____ zu - rück.   Du schenk - test mir dein

gan - - zes Le - ben, ich _____ will ___ es ihnen wie - - der

ge - - ben;   o Glück! _____

23

seg - nen   und mit mir   wei - - - -

- - - - nen;   o   Glück!

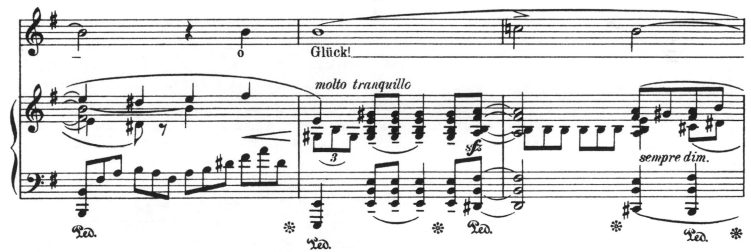

o   Glück!

F 95081

Herrn Dr. Fritz Sieger freundschaftlichst gewidmet

Lied an meinen Sohn

Op. 39/5

im Traum der Wind.

Einst hab' ich auch im

Schlaf ge-lacht, mein Sohn, und bin nicht

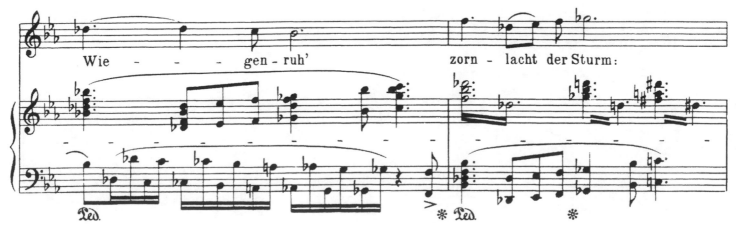

hör' zu, ___ hör' zu! ___

Er hat sich nie ___ vor Furcht ge - beugt, ___

horch, ___ wie er durch die Kro - nen keucht: ___ sei

du! ___ sei du! ___

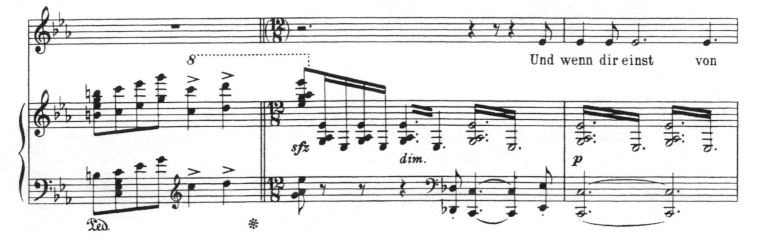

Und wenn dir einst von

Soh - nes - pflicht, _____ mein Sohn, _____ dein al - ter

Va - ter spricht, _____ ge - horch' _____ ihm

nicht, _____ ge - horch' ihm nicht: horch, wie der

Föhn _ im Forst _____ den Früh - - -

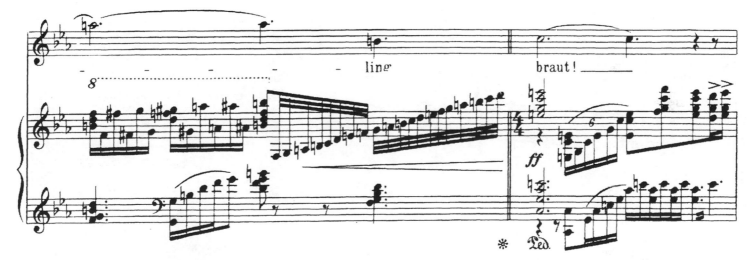

- - - - - ling braut! _____

32

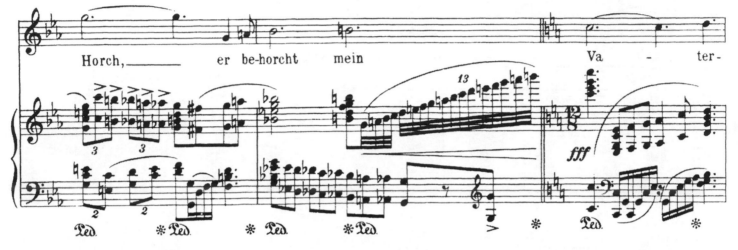

allmählich immer mehr beschleunigen

Horch,_____ er be-horcht mein Va - ter-

-haus,_____ mein Herz klopft in die Nacht hin - aus, laut._____

immer mehr beschleunigen